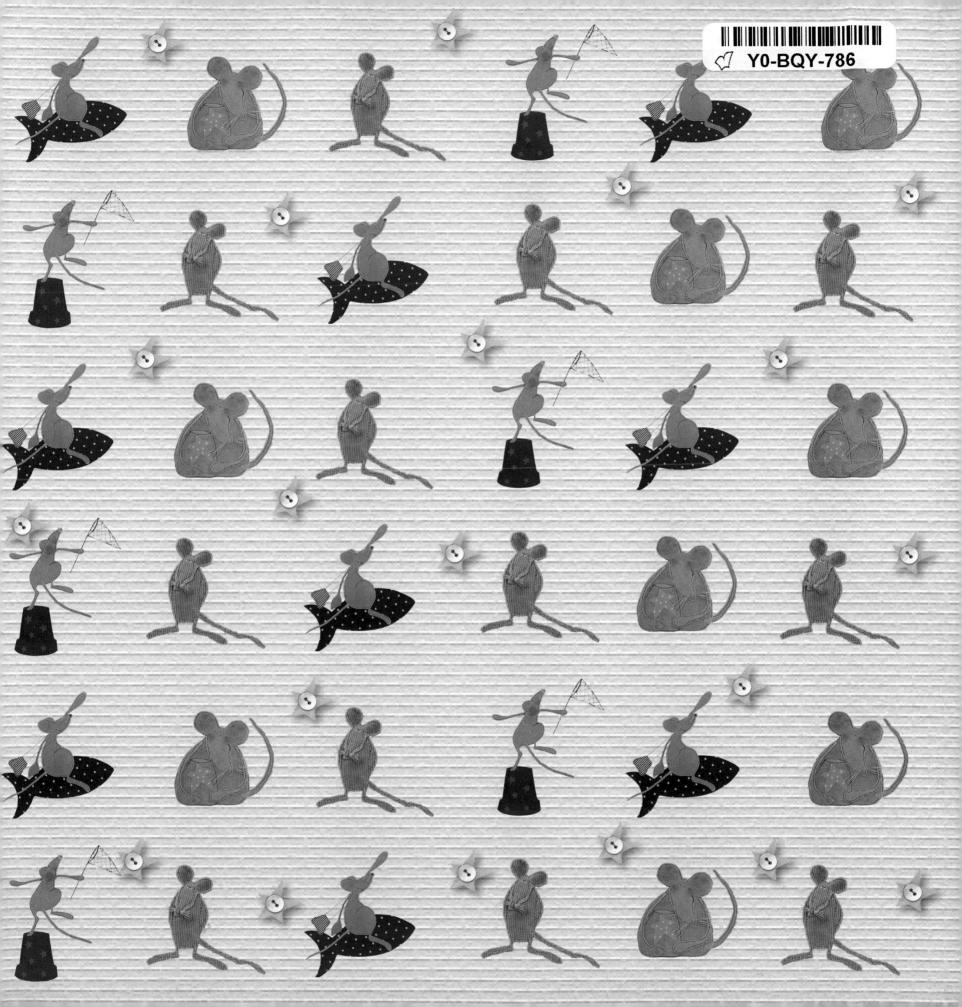

TWINKLE TWINKLE LITTLE STAR

KATE TOMS

Castle Street PRESS

Twinkle, twinkle,

little **star**,

How I wonder

what **you** are,

I'd love to catch you in my net...

Twinkle, twinkle, little **star**, I do so **wonder** what **you** are.

When snuggled up in **bed** at night,

Cozy, **warm**, and **tucked** up tight,

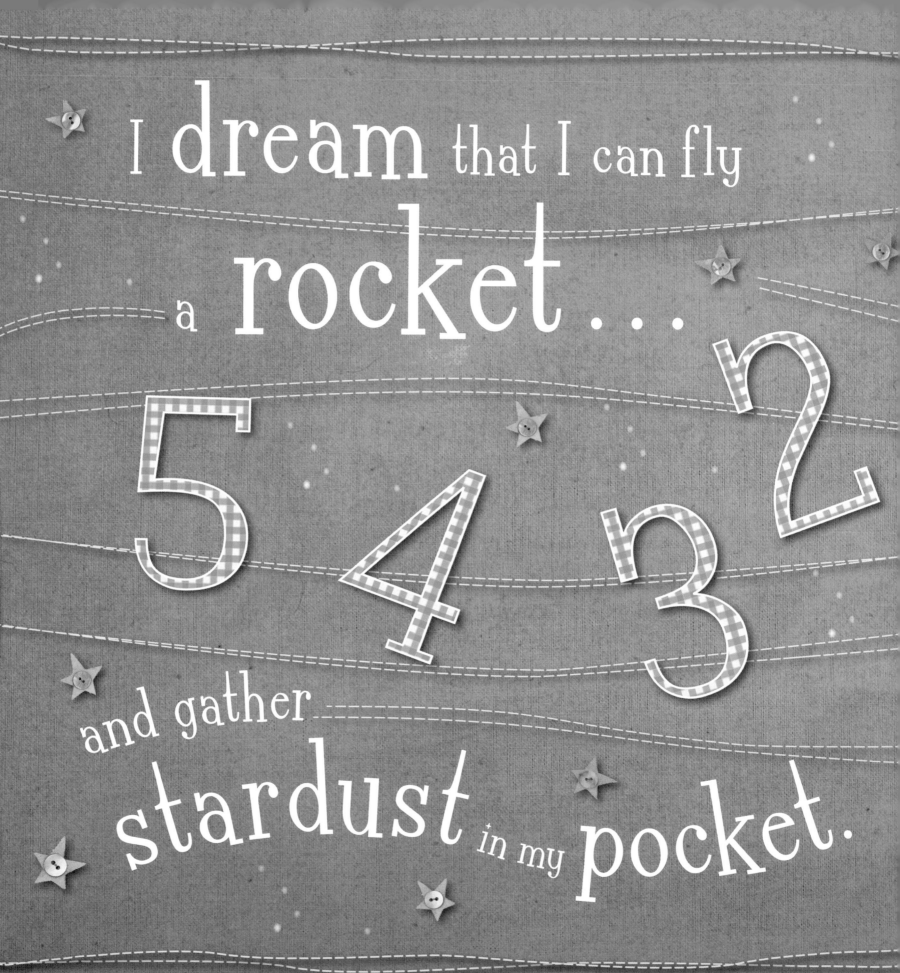

Twinkle, twinkle, little **star**, How I wonder what **you** are.

Does a **man** live on the **moon?**

And if the moon
is made of cheese,

Yummy!

Twinkle, twinkle, little star,
What do you see from afar?

Hello

Hola!

Jump!

Or do some folks have to **share?**

Twinkle, twinkle,
little star,
How I wonder
what you are!

When the sky
grows dark at night,
I wish and wish
with all my might,

I want to be a **star** like you,

Wheeeeeeeeee!

And see the world the way you do.

Twinkle, twinkle, little star,
How I wonder what you are.

When it's time to climb the stairs,

To **brush** my **teeth**
and say my **prayers**,

Through my **window** I can see,

That you are **smiling** down on me.

Twinkle, twinkle, little **star**, How I wonder what **you** are,